het boek van

m ui s

Maria van Eeden
Met tekeningen van Kris Nauwelaerts

Het boek van muis verscheen in 1997
in de serie Schatgravertjes van Uitgeverij Zwijsen.

© 1997/2007 Uitgeverij Zwijsen B.V., Tilburg
© 1997 Tekst: Maria van Eeden
© 1997 Tekeningen: Kris Nauwelaerts
Vormgeving: Ziezo Design, Maarssen

1e druk 2007

NUR 272/287
ISBN 978-90-276-7357-2

Voor België: Zwijsen-Infoboek, Meerhout
D/2007/1919/398

muis

muis komt thuis.
ze schrikt heel erg.
haar hol is stuk.
wie heeft dat gedaan?

m | ui | s

muis

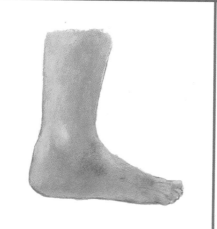

v | oe | t

voet

help! wat is dat nou weer?
muis ziet een voet in de lucht.
een voet zo groot als een vliegtuig.
nu is het hek ook al stuk.

m | ui | s

muis

r | eu | s

reus

11

het is de voet van een reus.
de reus trapt alles plat.
ga weg, reus! roept muis.
maar de reus hoort het niet.

m | ui | s

muis

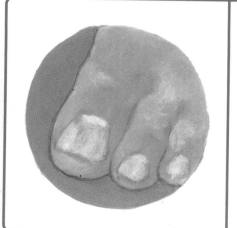

t | ee | n

teen

muis denkt: ik maak hem bang.
dan gaat hij wel weg.
ze bijt in de teen van de reus.
maar ... de reus voelt het niet eens.

m	ui	s

muis

p	oe	s

poes

poes, help me toch, zegt muis.

de reus maakt er een puinhoop van.

straks is alles stuk.

ik jaag hem wel weg, zegt de poes.

let maar eens op, muis.

m ui s

muis

b ee n

been

de poes sluipt naar de reus.
ze krabt diep in zijn been.
nu gaat hij wel weg, denkt muis.
maar de reus blijft rustig zitten.
hij wordt niet eens bang.

m | ui | s

<u>muis</u>

g | ei | t

<u>geit</u>

19

in de wei woont ook een geit.

geit, doe wat, zegt muis.

die reus moet hier weg.

ons lukt het niet.

 kun jij ons helpen?

m **|** ui **|** s

muis

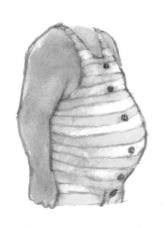

b **|** ui **|** k

buik

de geit stormt op de reus af.
ze geeft hem een por in zijn buik.
oei, denkt muis, dat doet pijn!
maar de reus lacht alleen maar.

 ik ben nooit bang, zegt hij.

m | ui | s

__muis__

b | ij

__bij__

23

een bij hoort wat de reus zegt.

ik maak die reus wel bang, zoemt ze.

niet doen! roept muis.

jij bent veel te klein.

24 maar de bij vliegt al weg.

m | ui | s

muis

n | eu | s

neus

de bij vliegt op de reus af.
prik!
ze steekt hem in zijn neus.
au! au! de reus holt weg.

net goed, lacht muis.

nu is het feest in de wei.

de geit danst met de poes.

en de muis danst met de bij.

en de reus?

die heeft pijn aan zijn neus.

kleuters samenleesboeken

Maria van Eeden en Hugo van Look

kleuters samenleesboek

het boek van aa p

Maria van Eeden en Paul de Becker

kleuters samenleesboek

het boek van de d oo s

Maria van Eeden en Camila Fialkowski

kleuters samenleesboek

het boek van het ei

Maria van Eeden en Gitte Spee

kleuters samenleesboek

het boek van k i p

Maria van Eeden en Paul de Becker

kleuters samenleesboek

het boek van de **m a n**

Maria van Eeden en Kris Nauwelaerts

kleuters samenleesboek

het boek van **m u i s**

Maria van Eeden en Helen van Vliet

kleuters samenleesboek

het boek van **p au l**

Maria van Eeden en Daniëlle Schothorst

kleuters samenleesboek

het boek van **w i k**